REGARDS ET JEUX DANS L'ESPACE

St-Denys-Garneau

REGARDS ET JEUX
DANS L'ESPACE

JEUX — ENFANTS
ESQUISSES EN PLEIN AIR — DEUX PAYSAGES
DE GRIS EN PLUS NOIR — FACTION — SANS TITRE
ACCOMPAGNEMENT

*Texte conforme à l'édition originale
de 1937, avec une postface, une
chronologie et une bibliographie
préparées par Réjean Beaudoin*

Boréal

Cette édition reproduit le texte, la mise en pages et la pagination de l'édition originale de *Regards et Jeux dans l'espace* publiée à Montréal en 1937. Seules les coquilles et les fautes évidentes ont été corrigées.

Les Éditions du Boréal sont inscrites au Programme de subvention globale du Conseil des Arts du Canada.

Conception graphique : Gianni Caccia
Illustration de la couverture : *Odile* (détail), 1957, Jean Dallaire,
Collection du musée des Beaux-Arts
de Montréal.
Photo : Brian Merrett, MBAM

© Les Éditions du Boréal
Dépôt légal : 4e trimestre 1993
Bibliothèque nationale du Québec

Diffusion au Canada : Dimedia
Distribution en Europe : Les Éditions du Boréal

Données de catalogage avant publication (Canada)
Garneau, Saint-Denys, 1912-1943

Regards et Jeux dans l'espace

(Boréal compact classique ; 51)
2e éd. -
Poèmes.
ISBN 2-89052-578-3

I. Titre.

PS8513.A75R4   1993   C841'.52   C93-097258-9
PS9513.A75R4   1993
PQ3919.G28R4   1993

I
JEUX

Je ne suis pas bien du tout assis sur cette chaise
Et mon pire malaise est un fauteuil où l'on reste
Immanquablement je m'endors et j'y meurs.

Mais laissez-moi traverser le torrent sur les roches
Par bonds quitter cette chose pour celle-là
Je trouve l'équilibre impondérable entre les deux
C'est là sans appui que je me repose.

LE JEU

Ne me dérangez pas je suis profondément occupé

Un enfant est en train de bâtir un village
C'est une ville, un comté
Et qui sait
        Tantôt l'univers.

Il joue

Ces cubes de bois sont des maisons qu'il déplace
                                et des châteaux
Cette planche fait signe d'un toit qui penche
                        ça n'est pas mal à voir
Ce n'est pas peu de savoir où va tourner la route
                                de cartes
Cela pourrait changer complètement
                            le cours de la rivière
A cause du pont qui fait un si beau mirage
                            dans l'eau du tapis
C'est facile d'avoir un grand arbre
Et de mettre au-dessous une montagne
                        pour qu'il soit en-haut.

Joie de jouer ! paradis des libertés !
Et surtout n'allez pas mettre un pied dans la chambre
On ne sait jamais ce qui peut être dans ce coin.
Et si vous n'allez pas écraser la plus chère
                                    des fleurs invisibles

Voilà ma boîte à jouets
Pleine de mots pour faire de merveilleux enlacements
Les allier séparer marier,
Déroulements tantôt de danse
Et tout à l'heure le clair éclat du rire
Qu'on croyait perdu

Une tendre chiquenaude
Et l'étoile
Qui se balançait sans prendre garde
Au bout d'un fil trop ténu de lumière
Tombe dans l'eau et fait des ronds.

De l'amour de la tendresse qui donc oserait en douter
Mais pas deux sous de respect pour l'ordre établi
Et la politesse et cette chère discipline
Une légèreté et des manières à scandaliser les grandes
                                                    personnes

Il vous arrange les mots comme si c'étaient de
                                        simples chansons
Et dans ses yeux on peut lire son espiègle plaisir
A voir que sous les mots il déplace toutes choses
Et qu'il en agit avec les montagnes
Comme s'il les possédait en propre.
Il met la chambre à l'envers et vraiment l'on ne s'y
                                        reconnaît plus
Comme si c'était un plaisir de berner les gens.

Et pourtant dans son œil gauche quand le droit rit
Une gravité de l'autre monde s'attache à la feuille
                                        d'un arbre
Comme si cela pouvait avoir une grande importance
Avait autant de poids dans sa balance
Que la guerre d'Ethiopie
Dans celle de l'Angleterre.

Nous ne sommes pas des comptables

Tout le monde peut voir une piastre de papier vert
Mais qui peut voir au travers
                              si ce n'est un enfant
Qui peut comme lui voir au travers en toute liberté
Sans que du tout la piastre l'empêche
                              ni ses limites
Ni sa valeur d'une seule piastre

Mais il voit par cette vitrine des milliers de jouets
                                        merveilleux
Et n'a pas envie de choisir parmi ces trésors
Ni désir ni nécessité
Lui
Mais ses yeux sont grands pour tout prendre.

SPECTACLE DE LA DANSE

Mes enfants vous dansez mal
Il faut dire qu'il est difficile de danser ici
Dans ce manque d'air
Ici sans espace qui est toute la danse.

Vous ne savez pas jouer avec l'espace
Et vous y jouer
Sans chaînes
Pauvres enfants qui ne pouvez pas jouer.

Comment voulez-vous danser j'ai vu les murs
La ville coupe le regard au début
Coupe à l'épaule le regard manchot
Avant même une inflexion rythmique
Avant, sa course et repos au loin
Son épanouissement au loin du paysage
Avant la fleur du regard alliage au ciel
Mariage au ciel du regard
Infinis rencontrés heurt
Des merveilleux.

La danse est seconde mesure et second départ
Elle prend possession du monde
Après la première victoire
Du regard

Qui lui ne laisse pas de trace en l'espace
— Moins que l'oiseau même et son sillage
Que même la chanson et son invisible passage
Remuement imperceptible de l'air —
Accolade, lui, par l'immatériel
Au plus près de l'immuable transparence
Comme un reflet dans l'onde au paysage
Qu'on n'a pas vu tomber dans la rivière

Or la danse est paraphrase de la vision
Le chemin retrouvé qu'ont perdu les yeux dans le but
Un attardement arabesque à reconstruire
Depuis sa source l'enveloppement de la séduction.

RIVIÈRE DE MES YEUX

O mes yeux ce matin grands comme des rivières
O l'onde de mes yeux prêts à tout refléter
Et cette fraîcheur sous mes paupières
Extraordinaire
Tout alentour des images que je vois

Comme un ruisseau rafraîchit l'île
Et comme l'onde fluente entoure
La baigneuse ensoleillée

II
ENFANTS

I

Les enfants
Ah! les petits monstres

Ils vous ont sauté dessus
Comme ils grimpent après les trembles
Pour les fléchir
Et les faire pencher sur eux

Ils ont un piège
Avec une incroyable obstination

Ils ne vous ont pas laissés
Avant de vous avoir gagnés

Alors ils vous ont laissés
Les perfides
                vous ont abandonnés
Se sont enfuis en riant.

Il y en a qui sont restés
Quand les autres sont partis jouer
Ils sont restés assis gravement.

Il en est qui sont allés
Jusqu'au bout de la grande allée

Leur rire s'est suspendu

Pendant qu'ils se retournaient
Pour vous voir qui les regardiez

Un remords et un regret

Mais il n'était pas perdu
Il a repris sa fusée
Qu'on entend courir en l'air
Cependant qu'eux sont disparus
Quand l'allée a descendu.

II

PORTRAIT

C'est un drôle d'enfant
C'est un oiseau
Il n'est plus là

Il s'agit de le trouver
De le chercher
Quand il est là

Il s'agit de ne pas lui faire peur
C'est un oiseau
C'est un colimaçon.

Il ne regarde que pour vous embrasser
Autrement il ne sait pas quoi faire
                          avec ses yeux
Où les poser
Il les tracasse comme un paysan sa casquette

Il lui faut aller vers vous
Et quand il s'arrête
Et s'il arrive
Il n'est plus là

Alors il faut le voir venir
Et l'aimer durant son voyage.

III
ESQUISSES
EN PLEIN AIR

La voix des feuilles
Une chanson
Plus claire un froissement
De robes plus claires aux plus
                    transparentes couleurs.

L'AQUARELLE

Est-il rien de meilleur pour vous chanter
                              les champs
Et vous les arbres transparents
Les feuilles
Et pour ne pas cacher la moindre des lumières

Que l'aquarelle cette claire
Claire tulle ce voile clair sur le papier.

FLÛTE

Tous les champs ont soupiré par une flûte
Tous les champs à perte de vue ondulés sur les
                                              buttes
Tendus verts sur la respiration calme des buttes

Toute la respiration des champs a trouvé ce petit
ruisseau vert de son pour sortir
A découvert
Cette voix verte presque marine
Et soupiré un son tout frais
                    Par une flûte.

SAULES

Les saules au bord de l'onde
La tête penchée
Le vent peigne leurs chevelures longues
Les agite au-dessus de l'eau
Pendant qu'ils songent
Et se plaisent indéfiniment
Aux jeux du soleil dans leur feuillage froid
Ou quand la nuit emmêle ses ruissellements.

LES ORMES

Dans les champs
Calmes parasols
Sveltes, dans une tranquille élégance
Les ormes sont seuls ou par petites familles.
Les ormes calmes font de l'ombre
Pour les vaches et les chevaux
Qui les entourent à midi.
Ils ne parlent pas
Je ne les ai pas entendus chanter.
Ils sont simples
Ils font de l'ombre légère
Bonnement
Pour les bêtes.

SAULES

Les grands saules chantent
Mêlés au ciel
Et leurs feuillages sont des eaux vives
Dans le ciel

Le vent
Tourne leurs feuilles
D'argent
Dans la lumière
Et c'est rutilant
Et mobile
Et cela flue
Comme des ondes.

On dirait que les saules coulent
Dans le vent
Et c'est le vent
Qui coule en eux.

C'est des remous dans le ciel bleu
Autour des branches et des troncs
La brise chavire les feuilles
Et la lumière saute autour
Une féerie
Avec mille reflets
Comme des trilles d'oiseaux-mouches
Comme elle danse sur les ruisseaux
Mobile
Avec tous ses diamants et tous ses sourires.

PINS À CONTRE-JOUR

Dans la lumière leur feuillage est comme l'eau
Des îles d'eau claire
Sur le noir de l'épinette ombrée à contre-jour

Ils ruissellent
Chaque aigrette et la touffe
Une île d'eau claire au bout de chaque branche

Chaque aiguille un reflet un fil d'eau vive

Chaque aigrette ruisselle comme une petite source
                                        qui bouillonne
Et s'écoule
On ne sait où.

Ils ruissellent comme j'ai vu ce printemps
Ruisseler les saules eux l'arbre entier
Pareillement argent tout reflet tout onde
Tout fuite d'eau passage
Comme du vent rendu visible
Et paraissant
Liquide
A travers quelque fenêtre magique.

IV
DEUX PAYSAGES

I

PAYSAGE EN DEUX COULEURS
SUR FOND DE CIEL

La vie la mort sur deux collines
Deux collines quatre versants
Les fleurs sauvages sur deux versants
L'ombre sauvage sur deux versants.

Le soleil debout dans le sud
Met son bonheur sur les deux cimes
L'épand sur faces des deux pentes
Et jusqu'à l'eau de la vallée
(Regarde tout et ne voit rien)

Dans la vallée le ciel de l'eau
Au ciel de l'eau les nénuphars
Les longues tiges vont au profond
Et le soleil les suit du doigt
(Les suit du doigt et ne sent rien)

Sur l'eau bercée   de nénuphars
Sur l'eau piquée   de nénuphars
Sur l'eau percée   de nénuphars
Et tenue de cent mille tiges
Porte le pied des deux collines
Un pied fleuri de fleurs sauvages
Un pied rongé d'ombre sauvage.

Et pour qui vogue en plein milieu
Pour le poisson qui saute au milieu
(Voit une mouche tout au plus)

Tendant les pentes vers le fond
Plonge le front des deux collines
Un de fleurs fraîches dans la lumière
Vingt ans de fleurs sur fond de ciel
Un sans couleur ni de visage
Et sans comprendre et sans soleil
Mais tout mangé d'ombre sauvage
Tout composé d'absence noire
Un trou d'oubli — ciel calme autour.

II

Un mort demande à boire
Le puits n'a plus tant d'eau qu'on le croirait
Qui portera réponse au mort
La fontaine dit mon onde n'est pas pour lui.

Or voilà toutes ses servantes en branle
Chacune avec un vase à chacune sa source
Pour apaiser la soif du maître
Un mort qui demande à boire.

Celle-ci cueille au fond du jardin nocturne
Le pollen suave qui sourd des fleurs
Dans la chaleur qui s'attarde
                    à l'enveloppement de la nuit
Elle développe cette chair devant lui

Mais le mort a soif encore et demande à boire

Celle-là cueille par l'argent des prés lunaires
Les corolles que ferma la fraîcheur du soir
Elle en fait un bouquet bien gonflé
Une tendre lourdeur fraîche à la bouche
Et s'empresse au maître pour l'offrir

Mais le mort a soif et demande à boire

Alors la troisième et première des trois sœurs
S'empresse elle aussi dans les champs
Pendant que surgit au ciel d'orient
La claire menace de l'aurore
Elle ramasse au filet de son tablier d'or
Les gouttes lumineuses de la rosée matinale
En emplit une coupe et l'offre au maître

Mais il a soif encore et demande à boire.

Alors le matin paraît dans sa gloire
Et répand comme un vent la lumière sur la vallée
Et le mort pulvérisé
Le mort percé de rayons comme une brume
S'évapore et meurt
Et son souvenir même a quitté la terre.

V
DE GRIS EN PLUS NOIR

SPLEEN

Ah ! quel voyage nous allons faire
Mon âme et moi, quel lent voyage

Et quel pays nous allons voir
Quel long pays, pays d'ennui.

Ah ! d'être assez fourbu le soir
Pour revenir sans plus rien voir

Et de mourir pendant la nuit
Mort de moi, mort de notre ennui.

MAISON FERMÉE

Je songe à la désolation de l'hiver
Aux longues journées de solitude
Dans la maison morte —
Car la maison meurt où rien n'est ouvert —
Dans la maison close, cernée de forêts

Forêts noires pleines
De vent dur

Dans la maison pressée de froid
Dans la désolation de l'hiver qui dure

Seul à conserver un petit feu dans le grand âtre
L'alimentant de branches sèches
Petit à petit
Que cela dure
Pour empêcher la mort totale du feu
Seul avec l'ennui qui ne peut plus sortir
Qu'on enferme avec soi
Et qui se propage dans la chambre

Comme la fumée d'un mauvais âtre
Qui tire mal vers en haut
Quand le vent s'abat sur le toit
Et rabroue la fumée dans la chambre
Jusqu'à ce qu'on étouffe dans la maison fermée

Seul avec l'ennui
Que secoue à peine la vaine épouvante
Qui nous prend tout à coup
Quand le froid casse les clous dans les planches
Et que le vent fait craquer la charpente

Les longues nuits à s'empêcher de geler
Puis au matin vient la lumière
Plus glaciale que la nuit.

Ainsi les longs mois à attendre
La fin de l'âpre hiver.

Je songe à la désolation de l'hiver
Seul
Dans une maison fermée.

FIÈVRE

Reprend le feu
Sous les cendres

Attention
On ne sait pas
Dans les débris

Attention
On sait trop bien
Dans les débris
Le moindre souffle et le feu part

Au fond du bois
Le feu reprend
Sournoisement
De moins en plus fort

Attention
Le feu reprend
Brûle le vent à son passage

Le feu reprend
Mais où passer
Dans les débris
Tout fracassés
Dans les écopeaux
Bien tassés

La chaleur chauffe
Le vent se brûle
La chaleur monte
Et brouille le ciel

A lueurs lourdes
La chaleur sourde
Chauffe et me tord

La chaleur chauffe
Sans flamme claire
La chaleur monte
Sans oriflamme
Brouillant le ciel
Tremblant les arbres
Brûlant le vent à son passage.

Le paysage
Demande grâce
Les bêtes ont les yeux effarés
Les oiseaux sont égarés
Dans la chaleur brouillant le ciel

Le vent ne peut plus traverser
Vers les grands arbres qui étouffent
Les bras ouverts
Pour un peu d'air

Le paysage demande grâce
Et la chaleur intolérable
Du feu repris
Dans les débris
Est sans une fissure aucune
Pour une flamme
Ou pour le vent.

VI
FACTION

COMMENCEMENT PERPÉTUEL

Un homme d'un certain âge
Plutôt jeune et plutôt vieux
Portant des yeux préoccupés
Et des lunettes sans couleur
Est assis au pied d'un mur
Au pied d'un mur en face d'un mur

Il dit je vais compter de un à cent
A cent ça sera fini
Une bonne fois une fois pour toutes
Je commence   un deux   et le reste

Mais à soixante-treize il ne sait plus bien

C'est comme quand on croyait compter les coups de
                                                    minuit
                        et qu'on arrive à onze
Il fait noir comment savoir
On essaye de reconstruire avec les espaces le rythme
Mais quand est-ce que ça a commencé

Et l'on attend la prochaine heure

Il dit allons il faut en finir
Recommençons une bonne fois
Une fois pour toutes
De un à cent
Un . . . .

Autrefois j'ai fait des poèmes
Qui contenaient tout le rayon
Du centre à la périphérie et au delà
Comme s'il n'y avait pas de périphérie
                              mais le centre seul
Et comme si j'étais le soleil : à l'entour
                              l'espace illimité
C'est qu'on prend de l'élan
                    à jaillir tout au long du rayon
C'est qu'on acquiert une prodigieuse vitesse de bolide
Quelle attraction centrale peut alors
                        empêcher qu'on s'échappe
Quel dôme de firmament concave qu'on le perce
Quand on a cet élan pour éclater dans l'Au delà.

Mais on apprend que la terre n'est pas plate
Mais une sphère et que le centre n'est pas au milieu
Mais au centre
Et l'on apprend la longueur du rayon ce chemin
                                    trop parcouru
Et l'on connaît bientôt la surface
Du globe tout mesuré inspecté arpenté vieux sentier
Tout battu

Alors la pauvre tâche
De pousser le périmètre à sa limite
Dans l'espoir à la surface du globe d'une fissure,
Dans l'espoir et d'un éclatement des bornes
Par quoi retrouver libre l'air et la lumière.

Hélas tantôt désespoir
L'élan de l'entier rayon devenu
Ce point mort sur la surface.

Tel un homme
Sur le chemin trop court par la crainte du port
Raccourcit l'enjambée et s'attarde à venir
Il me faut devenir subtil
Afin de, divisant à l'infini l'infime distance
De la corde à l'arc,
Créer par ingéniosité un espace analogue à l'Au delà
Et trouver dans ce réduit matière
Pour vivre et l'art.

FACTION

On a décidé de faire la nuit
Pour une petite étoile problématique
A-t-on le droit de faire la nuit
Nuit sur le monde et sur notre cœur
Pour une étincelle
Luira-t-elle
Dans le ciel immense désert

On a décidé de faire la nuit
pour sa part
De lâcher la nuit sur la terre
Quand on sait ce que c'est
Quelle bête c'est
Quand on a connu quel désert
Elle fait à nos yeux sur son passage

On a décidé de lâcher la nuit sur la terre
Quand on sait ce que c'est
Et de prendre sa faction solitaire
Pour une étoile
                    encore qui n'est pas sûre
Qui sera peut-être une étoile filante
Ou bien le faux éclair d'une illusion
Dans la caverne que creusent en nous
Nos avides prunelles.

VII

Tu croyais tout tranquille
Tout apaisé
Et tu pensais que cette mort était aisée

Mais non, tu sais bien que j'avais peur
Que je n'osais faire un mouvement
Ni rien entendre
Ni rien dire
De peur de m'éveiller complètement
Et je fermais les yeux obstinément
Comme un qui ne peut s'endormir
Je me bouchais les oreilles avec mon oreiller
Et je tremblais que le sommeil ne s'en aille

Que je sentais déjà se retirer
Comme une porte ouverte en hiver
Laisse aller la chaleur tendre
Et s'introduire dans la chambre
Le froid qui vous secoue de votre assoupissement
Vous fouette
Et vous rend conscient nettement comme l'acier

Et maintenant

Les yeux ouverts les yeux de chair
                              trop grands ouverts
Envahis regardent passer
Les yeux les bouches les cheveux
Cette lumière trop vibrante
Qui déchire à coups de rayons
La pâleur du ciel de l'automne

Et mon regard part en chasse effrénément
De cette splendeur qui s'en va
De la clarté qui s'échappe
Par les fissures du temps

L'automne presque dépouillé
De l'or mouvant
Des forêts
Et puis ce couchant
Qui glisse au bord de l'horizon
A me faire crier d'angoisse

Toutes ces choses qu'on m'enlève

J'écoute douloureux comme passe une onde
Les chatoiements des voix et du vent
Symphonie déjà perdue   déjà fondue
En les frissons de l'air qui glisse vers hier

Les yeux le cœur et les mains ouvertes
Mains sous mes yeux ces doigts écartés
Qui n'ont jamais rien retenu
Et qui frémissent
Dans l'épouvante d'être vides

Maintenant mon être en éveil
Est comme déroulé sur une grande étendue
Sans plus de refuge au sein de soi
Contre le mortel frisson des vents
Et mon cœur charnel est ouvert comme une plaie
D'où s'échappe aux torrents du désir
Mon sang distribué aux quatre points cardinaux.

Qu'est-ce qu'on peut pour notre ami
au loin là-bas
à longueur de notre bras

Qu'est-ce qu'on peut pour notre ami
Qui souffre une douleur infinie

Qu'est-ce qu'on peut pour notre cœur
Qui se tourmente et se lamente

Qu'est-ce qu'on peut pour notre cœur
Qui nous quitte en voyage tout seul

Que l'on regarde d'où l'on est
Comme un enfant qui part en mer

De sur la falaise où l'on est
Comme un enfant qu'un vaisseau prend

Comme un bateau que prend la mer
Pour un voyage au bout du vent

Pour un voyage en plein soleil
Mais la mer sonne déjà sourd

Et le ressac s'abat plus lourd
Et le voyage est à l'orage

Et lorsque toute la mer tonne
Et que le vent se lamente aux cordages

Le vaisseau n'est plus qu'une plainte
Et l'enfant n'est plus qu'un tourment

Et de la falaise où l'on est
Notre regard est sur la mer

Et nos bras sont à nos côtés
Comme des rames inutiles

Nos regards souffrent sur la mer
Comme de grandes mains de pitié

Deux pauvres mains qui ne font rien
Qui savent tout et ne peuvent rien

Qu'est-ce qu'on peut pour notre cœur
Enfant en voyage tout seul
Que la mer à nos yeux déchira.

PETITE FIN DU MONDE

Oh ! Oh !
Les oiseaux
morts

Les oiseaux
les colombes
nos mains

Qu'est-ce qu'elles ont eu
qu'elles ne se reconnaissent plus

On les a vues autrefois
Se rencontrer dans la pleine clarté
se balancer dans le ciel
se côtoyer avec tant de plaisir
                    et se connaître
dans une telle douceur

Qu'est-ce qu'elles ont maintenant
quatre mains sans plus un chant
que voici mortes
désertées

J'ai goûté à la fin du monde
et ton visage a paru périr
devant ce silence de quatre colombes
devant la mort de ces quatre mains
          Tombées
en rang côte à côte

Et l'on se demande
     A ce deuil
quelle mort secrète
quel travail secret de la mort
par quelle voie intime dans notre ombre
où nos regards n'ont pas voulu descendre
     La mort
a mangé la vie aux oiseaux
a chassé le chant et rompu le vol
à quatre colombes
alignées sous nos yeux

de sorte qu'elles sont maintenant
                              sans palpitation
et sans rayonnement de l'âme.

ACCUEIL

Moi ce n'est que pour vous aimer
Pour vous voir
Et pour aimer vous voir

Moi ça n'est pas pour vous parler
Ça n'est pas pour des échanges
                              conversations
Ceci livré, cela retenu
Pour ces compromissions de nos dons

C'est pour savoir que vous êtes,
Pour aimer que vous soyez

Moi ce n'est que pour vous aimer
Que je vous accueille
Dans la vallée spacieuse de mon recueillement
Où vous marchez seule et sans moi
Libre complètement

Dieu sait que vous serez inattentive
Et de tous côtés au soleil
Et tout entière en votre fleur
Sans une hypocrisie
en votre jeu

Vous serez claire et seule
Comme une fleur sous le ciel
Sans un repli
Sans un recul de votre exquise pudeur

Moi je suis seul à mon tour
autour de la vallée
Je suis la colline attentive
Autour de la vallée
Où la gazelle de votre grâce évoluera
Dans la confiance et la clarté de l'air

Seul à mon tour j'aurai la joie
Devant moi
De vos gestes parfaits
Des attitudes parfaites
De votre solitude

Et Dieu sait que vous repartirez
Comme vous êtes venue
Et je ne vous reconnaîtrai plus

Je ne serai peut-être pas plus seul
Mais la vallée sera déserte
Et qui me parlera de vous ?

CAGE D'OISEAU

Je suis une cage d'oiseau
Une cage d'os
Avec un oiseau

L'oiseau dans ma cage d'os
C'est la mort qui fait son nid

Lorsque rien n'arrive
On entend froisser ses ailes

Et quand on a ri beaucoup
Si l'on cesse tout à coup
On l'entend qui roucoule
Au fond
Comme un grelot

C'est un oiseau tenu captif
La mort dans ma cage d'os

Voudrait-il pas s'envoler
Est-ce vous qui le retiendrez
Est-ce moi
Qu'est-ce que c'est

Il ne pourra s'en aller
Qu'après avoir tout mangé
Mon cœur
La source du sang
Avec la vie dedans

Il aura mon âme au bec.

ACCOMPAGNEMENT

Je marche à côté d'une joie
D'une joie qui n'est pas à moi
D'une joie à moi que je ne puis pas prendre

Je marche à côté de moi en joie
J'entends mon pas en joie qui marche à côté de moi
Mais je ne puis changer de place sur le trottoir
Je ne puis pas mettre mes pieds dans ces pas-là
       et dire voilà c'est moi

Je me contente pour le moment de cette compagnie
Mais je machine en secret des échanges
Par toutes sortes d'opérations, des alchimies,
Par des transfusions de sang
Des déménagements d'atomes
       par des jeux d'équilibre

Afin qu'un jour, transposé,
Je sois porté par la danse de ces pas de joie
Avec le bruit décroissant de mon pas à côté de moi
Avec la perte de mon pas perdu
       s'étiolant à ma gauche
Sous les pieds d'un étranger
       qui prend une rue transversale.

POSTFACE

SAINT-DENYS GARNEAU,
HIER ET AUJOURD'HUI

C'est là sans appui que je me repose.

En 1937, Saint-Denys Garneau a publié le seul livre qu'il ait lui-même autorisé à paraître, une plaquette de poèmes de 80 pages. Depuis lors, *Regards et Jeux dans l'espace* a été repris dans des éditions posthumes, mais avec d'autres textes du poète. On n'a jamais réimprimé ce recueil seul. La présente édition est la première à reprendre exactement l'édition originale, sans l'augmenter d'inédits et en en respectant strictement la disposition et la mise en pages, ainsi que la graphie de son nom que le poète avait inscrite en tête de son ouvrage[1]. En plus de rappeler la disparition de l'écrivain le plus doué de sa génération, mort en 1943, à l'âge de trente et un ans, cette réédition est l'occasion de se demander ce qui attire toujours les lecteurs dans cette œuvre, un demi-siècle après le décès de l'auteur. Pourquoi la relire aujourd'hui ? Comment la séparer du mythe qui entoure le destin tragique de Saint-Denys Garneau ?

Jacques Brault et Benoît Lacroix constatent que « Hector de Saint-Denys Garneau (1912-1943) n'a publié de son vivant qu'un seul livre, un mince recueil de poèmes, intitulé *Regards et Jeux dans l'espace*. Dès 1944, ajoutent-ils pourtant, on lui rend hommage comme à l'un des plus importants écrivains québécois[2]. » Brault et Lacroix notent que « la bibliographie critique sur Saint-Denys Garneau est d'une telle abondance que nous ne pouvons ici en faire état[3] ». De même, Laurent Mailhot et Pierre Nepveu affirment qu'« aucun poète québécois n'a fait l'objet de si nombreuses études[4] ».

On s'étonne de la disproportion apparente entre la modestie de l'œuvre et les nombreux commentaires qu'elle a suscités, mais c'est une fausse impression qui provoque ce malentendu. La fragilité de l'œuvre de Saint-Denys Garneau ne correspond à aucune réalité, quelque effort qu'ait fait le poète pour l'accréditer. Si l'on parle de *Regards et Jeux dans l'espace*, la création en est longuement mûrie, proprement exécutée et parfaitement résistante ; quant aux inédits qui n'ont cessé de paraître depuis 1949, ils débordent d'une richesse peut-être un peu brouillonne parfois, mais les aperçus ébauchés dans la masse des écrits posthumes confirment amplement l'existence d'une œuvre qu'on n'a pas fini de découvrir.

L'étonnant n'est pas la place importante de cette œuvre sous le regard de la critique, surtout depuis la fin de la Deuxième Guerre mondiale, mais plutôt son désaveu presque constant par l'auteur du *Journal* et de la correspondance. On peut dire que Saint-Denys Garneau n'a écrit qu'au prix d'un long combat contre lui-même et contre la conviction qu'il avait de la nullité de ses efforts, conviction qui n'a fait que s'accroître au fur et à mesure qu'il épurait radicalement ses moyens d'expression.

Ce sentiment d'insuffisance fondamentale a rempli la vie de l'écrivain, motivé son inquiétude spirituelle, stimulé son introspection et, paradoxalement, nourri son écriture. Il importe de remarquer que ce mélange de ténacité et d'abattement a déterminé le commentaire critique des premiers lecteurs que furent ses amis. La reconnaissance du poète s'est d'abord imposée à partir du choc de sa mort subite[5] et par les questions qu'elle adressait au climat de crise non seulement économique, mais aussi intellectuelle et sociale des années 1930 et 1940. Ce rapport premier entre l'œuvre et son contexte immédiat, c'est ce que l'on a appelé le mythe de Saint-Denys Garneau, par quoi il faut surtout entendre que sa poésie, sans avoir été sérieusement mise en cause depuis 1943, est toutefois restée inséparable d'une aventure spirituelle le plus souvent réduite à l'état de symptôme : celui d'une culpabilité religieuse dans laquelle on a voulu voir une caractéristique de la société canadienne-française.

Gilles Marcotte, en 1969, résumait les éléments de ce mythe qui définit autant l'intelligentsia québécoise d'après-guerre que la pensée du poète. L'expérience littéraire de Saint-Denys Garneau aura constitué pour le milieu intellectuel un événement qui le révélait à lui-même mieux qu'aucun portrait de groupe :

On a souvent parlé, au Canada français, du mythe de Saint-Denys Garneau. Tout s'y prêtait, en effet : les années de réclusion au manoir de Sainte-Catherine de Fossambault, une mort prématurée, une rumeur de suicide à laquelle les démentis les plus formels n'ont jamais pu enlever tout crédit, la publication posthume d'importants inédits, dont les poèmes des *Solitudes,* et un *Journal* qui corroborait les cris les plus désespérés de l'œuvre poétique. C'était, par excellence, l'œuvre-confession, l'œuvre de brûlante sincérité que semblait attendre une génération d'intellectuels forcée d'entreprendre la révision de ses valeurs. Elle se présentait comme le portrait d'un homme, et dans la considération de l'œuvre l'analyse psychologique l'emporta, d'entrée de jeu, sur l'analyse littéraire. La façon même dont Saint-Denys Garneau concevait et pratiquait la poésie n'autorisait-elle pas une telle insistance[6] ?

L'étude qui se donnera pour objectif de distinguer clairement la part des textes de Garneau et celle de ses premiers lecteurs dans la formation de ce mythe est encore à faire. Voyons plutôt comment s'explique la singulière résolution qui a poussé Saint-Denys Garneau à ne plus publier de poèmes après *Regards et Jeux dans l'espace*, alors qu'il continuait d'en écrire, comme on l'apprendra par la publication posthume des *Poésies complètes* en 1949. De la part de quelqu'un qui se dit souvent indécis, sans énergie et manquant de motivation, cette fermeté toute négative (à refuser la diffusion de ses poèmes) est certainement significative. Je parle ici du point de vue présenté sur sa propre expérience par le rédacteur du *Journal* et de la correspondance, partiellement publiés à titre posthume en 1954, 1967 et 1971.

Qu'on lise, par exemple, ce passage du *Journal* où l'auteur s'adresse à lui-même durant plusieurs pages intitulées « Moi, dédoublement » :

> Quand je cède et que je me bats avec toi, c'est ridicule au possible. Tu as des souplesses de serpent ; tu es si mince que cela t'est facile, presque tout du vide. Et je frappe là-dedans, à grands coups, ou à petits coups étudiés, et rencontrant partout le vide, je finis par croire que tu n'existes pas. Mais quand j'ai constaté cela, ta parfaite insignifiance, et que, humilié, je me retourne et implore pour être débarrassé de ces fantômes, te voilà qui surgis, grimé de je ne sais quels masques ; tu portes devant toi un grand voile opaque qui m'empêche de voir tes dimensions véritables et t'entoure comme d'un mystère[7].

Ce méditatif qui se plaint de son impuissance, qui redit continuellement son dégoût de lui-même et de toute action que ne soutiendrait pas une inspiration élevée, c'est-à-dire absolue, pèlerin solitaire d'un espace inconnu qu'il parcourt sans relâche, tout enlisé cependant dans l'ingratitude d'un insondable ici, ce retardataire enfin, homme fatigué, convalescent perpétuel, bohème indifférent à toute carrière sérieuse, c'est aussi l'écrivain dont l'œuvre mûrit avec une rapidité frappante pendant qu'il médite gravement sur sa stérilité. En quelques années seulement, cette œuvre aura épuisé toute sa matière et absorbé la vie entière de celui qui s'y est livré, quoi qu'il en ait dit, avec un dévouement complet. En fait, l'écriture s'accélère d'autant que la vie semble ralentir chez ce rêveur lucide dont le « refus de l'immobilité », pour reprendre une expression de Gilles Marcotte, inaugure magnifiquement *Regards et Jeux dans l'espace* : « Et mon pire malaise est un fauteuil où l'on reste » (p. 98). Il y a un véritable emportement dans l'expérience poétique de celui qui observe : « seulement, je n'ai pas de persévérance, pas de patience[9]. » Il faut se garder de confondre cette hâte avec l'agitation commune d'une humanité pressée, pour qui tout ce qui ne court pas vers une fin immédiate paraît dangereusement assoupi. Dans quelle mesure Saint-Denys Garneau n'est-il pas lui-même victime d'une erreur semblable lorsqu'il s'afflige de sa « pauvreté », thème récurrent de sa prose introspective et fondement de son univers poétique ?

La maigreur squelettique et la détresse spirituelle qui hantent les vers de Garneau ne viennent ni d'une timidité pathologique ni d'un complexe psychologique typiquement assorti d'une perversion québécoise du catholicisme, mais de son extraordinaire entêtement à « Créer par ingéniosité un espace analogue à l'Au delà/Et trouver dans ce réduit matière/Pour vivre et l'art » (p. 56). Contemporain d'Alain Grandbois et de Paul-Émile Borduas, Saint-Denys Garneau introduit au Québec l'exceptionnel coup d'envoi d'une modernité qui s'y est beaucoup fait attendre. En 1953, une nouvelle génération fondera les Éditions de l'Hexagone, et la liberté n'aura plus à revendiquer le droit de s'exprimer. Mais vingt ans plus tôt, le père Carmel Brouillard et Mgr Camille Roy s'efforçaient encore de régir une littérature laurentienne enivrée de terroir et de morale patriotique, au moment où Saint-Denys Garneau écrivait *Regards et Jeux dans l'espace*. Il aura été l'un des premiers à découvrir le vide intellectuel et moral que recouvrait le discours officiel et à situer son projet au cœur de cette dévastation. Il ne

pouvait le faire que dans la plus grande solitude. Confiné
à l'espace le plus étroit, il tente néanmoins l'ouverture la
plus large. Sa percée est telle qu'elle aboutit à une sorte
de point aveugle dans la littérature. Saint-Denys Garneau
dissipe d'un seul coup tout le clinquant de la rhétorique.
Il s'est beaucoup défié du mirage des mots, mais si sa
façon de les mettre à distance révèle mieux leur pouvoir
qu'un pur investissement verbal, n'est-ce pas parce qu'il
a choisi malgré tout de s'y engager avec une résolution
qu'il a su mener à terme ? En 1969, Fernand Dumont a
très justement formulé la tâche qui fut celle de Saint-
Denys Garneau et de ses contemporains, en disant qu'ils
ont été les témoins de la fin d'une époque. Dumont situe
le poète au sein « d'une plus vaste famille : Ringuet,
Savard, Grignon, d'autres encore. Qu'avaient-ils en
commun ? » :

> Ils faisaient le procès des mythologies traditionnelles
> grâce aux mythologies elles-mêmes, c'est-à-dire en repre-
> nant les vieux mythes de ce pays dans le roman ou le
> poème. Singulier procès où, derrière l'écrivain, l'accusé
> était l'accusateur, où les accusations étaient aussi de
> secrètes apologies... L'héritage n'était pas brutalement
> récusé : il était remis en cause, mais par une reprise en
> charge de ses implications profondes[10].

Saint-Denys Garneau a si peu refusé de situer son
aventure dans le langage — qui constitue, en effet, le
lieu de son interrogation constante — qu'il a inventé un
langage qui s'énonce de plus loin que le recours poétique, dont les moyens sont plutôt dénoncés chez lui
comme un reflet illusoire de l'univers où il a choisi de
mener sa quête de vérité. L'exigence de sa vision

déclenche un resserrement de l'écriture qui nettoie la
versification régulière et entraîne une véritable critique
de la poésie. Celle de Saint-Denys Garneau est l'art le
plus secret, le plus attentif au danger de surestimer son
pouvoir et d'excéder ses limites. D'où l'allure volontiers
prosaïque de ses vers et la prudence observée dans
l'emploi des procédés courants du verbe poétique :
symboles, images, rythmes, prosodie. Pour s'assurer de
ne jamais abuser du vieux sortilège des mots, la phrase
est cassée, l'énoncé adopte une diction malaisée et les
syntagmes familiers de la langue parlée envahissent
souvent le poème, dont les figures semblent des barrières
élevées contre tout élan lyrique. La voix du poète veut
parler sans parabole, déjouer l'artifice, dépouiller les
apparences du monde et démasquer les ruses du langage.
On dirait qu'il s'agit de rendre la poésie à la pensée la
plus libre, de la purger du luxe des séductions dont elle
porte historiquement les marques formelles, de la sou-
mettre à une disette sévère pour la rendre à l'expression
d'une expérience spécifique.

Quelle expérience ? Celle de la poésie même et de sa
plus intime contradiction, puisque celui qui écrit a choisi
de vérifier un absolu du monde qu'il ne peut atteindre
qu'au moyen du langage, mais qu'il veut d'abord éprou-
ver d'une façon personnelle et sans rien devoir à l'incan-
tation. Et tout son drame est là, car Saint-Denys Garneau
ne s'est jamais résigné à en rabattre de la plénitude non
seulement espérée mais rendue chez lui nécessaire par sa
conception de l'activité poétique. La droiture et la sim-
plicité de la langue qu'il privilégie taisent et soulignent
à la fois la hauteur de son engagement. « Être poète,

c'était ma raison de vivre, à moi ; c'était ma preuve à moi-même de mon existence », écrit-il dans une lettre[11]. Percer le mur qui empêche la pleine possession du monde, telle est la mission qui incombe à cette poésie, et Gilles Marcotte ne s'y est pas trompé en remarquant que « l'interdiction affrontée par Saint-Denys Garneau n'est pas fondamentalement différente de celle qui occupe les œuvres d'un Nerval, d'un Baudelaire, d'un Mallarmé, d'un Breton[12] ». Retournée contre elle-même, forcée de briser le vieux sortilège de ses moyens les mieux assurés, cette poésie finit par déboucher sur l'abolition du sujet : « L'élan de l'entier rayon devenu/Ce point mort sur la surface » (p. 56). Ce que l'on a souvent pris pour une vague religiosité ou une mystique intransigeante, selon l'interprétation variable des lecteurs, est en fait, comme l'a noté Jacques Blais[13], une rigoureuse théorie de l'imagination poétique, disséminée à travers toute son œuvre, faite de poésie, mais aussi de critique littéraire, picturale et musicale, de méditation sur la réalité du moi, ou plutôt sur son manque de réalité, d'élans désespérés vers Dieu suivis de chutes de plus en plus profondes dans une désolation finalement sans appel.

Auteur d'un seul livre, Saint-Denys Garneau y découvre l'aire de liberté qui a précisément manqué au développement de sa propre écriture comme à celle de ses contemporains écartelés depuis le début du siècle entre le pâle exotisme d'une culture d'emprunt et le régionalisme haut en couleurs des coqs de clochers. Dans ce milieu intellectuel et social, comme l'a écrit Gilles Marcotte, *Regards et Jeux dans l'espace* accomplit un acte décisif pour la littérature :

Si l'on accorde que l'évolution littéraire du Canada français s'opère principalement en fonction d'expériences autochtones, et non pas sous l'effet d'influences livresques venues de France ou d'ailleurs, on considérera l'œuvre poétique de Saint-Denys Garneau comme une rupture capitale. La violence de l'interdiction qu'elle rencontre, la profondeur du sentiment d'échec qui la parcourt, témoignent de la nécessité et de la fécondité de son entreprise. Après Saint-Denys Garneau, la poésie canadienne-française ne pourra plus retourner à l'« ancien jeu des vers » et à la conception de la parole qui le fonde. Des portes sont ouvertes, qui ne se refermeront plus[14].

* * *

Si capitale et si nette que soit la rupture, il reste qu'elle s'inscrit au cœur d'une certaine conjoncture qu'on ne saurait ignorer si l'on veut comprendre l'événement littéraire qu'a été *Regards et Jeux dans l'espace*. Quel était l'état de l'expression poétique au Québec entre les deux guerres mondiales ? Dans quel contexte a surgi ce livre ? Qu'avait lu Saint-Denys Garneau ? Jacques Blais a consacré un excellent ouvrage à la période qui va de 1934 à 1944. Voici comment il répond globalement aux deux premières questions :

À qui ignorerait le contexte dans lequel se poursuit, au cours des années 1930, l'évolution du mouvement poétique, le cas Saint-Denys Garneau semblerait sans doute miraculeux. Sans que rien ne l'ait prévu, un recueil d'un type inédit paraît en 1937, qu'il est malaisé, du moins à première vue, d'inclure dans la suite des événements. En fait, *Regards et Jeux dans l'espace* participe d'une tradition déjà ancienne qu'il abolit du même geste : le

poète utilise la thématique à la mode, et à cause de cela
banalisée, pour la rendre à la fois valide et futile, tout
paradoxal que cela soit. Transposant l'esprit de son temps,
Garneau en montre l'irréalité, au risque de se prendre lui-
même au jeu et de finir victime du système dont il
démonte le mécanisme. Échec à valeur positive tout de
même, puisque l'aventure où Garneau se brise suscitera, à
partir des années 50, des entreprises libératrices[15].

Pour comprendre « l'esprit du temps », il faudrait
rappeler la fondation de *La Relève* par les amis du poète
en 1934. On sait que celui-ci a pris part à la mise en
œuvre du projet et qu'il a secondé les efforts de ses
camarades en publiant plusieurs articles dans la revue.
L'année 1934 marque également, selon plusieurs témoi-
gnages, le commencement d'une crise de conscience au
cours de laquelle la recherche poétique de Saint-Denys
Garneau se confirme et se définit, à mesure qu'il appro-
fondit son expérience spirituelle. *La Relève* s'intéresse
aux écrivains français qui incarnent un catholicisme
vivant, c'est-à-dire un enseignement spirituel à la fois
fidèle à la vérité révélée, compatible avec la pensée
moderne et porteur des plus hautes réalisations de l'art.
Les lectures personnelles de Saint-Denys Garneau recou-
pent largement celles des intellectuels de sa génération
qui publient et lisent le nouveau périodique. Ces jeunes
gens partagent une sorte de passion pour l'art, la littérature, la vie de l'esprit et, à travers tout cela, pour
l'étude des mouvements de leur âme et pour l'analyse
psychologique. On a dit que ces préoccupations frôlaient
l'obsession chez Saint-Denys Garneau, ce qui l'aurait
amené à se fourvoyer dans le mysticisme. Je crois plutôt
qu'il importe de remarquer à quel point son angoisse est

indissociable de l'écriture qu'il a voulu pratiquer. Autrement dit, la nature de son œuvre transcende les objectifs et les aspirations de *La Relève*.

Le désespoir de Saint-Denys Garneau a quelque chose de froid et de mûrement réfléchi qui ne ressemble pas au dépit qui suit un emballement passager. Malgré son caractère très fragmentaire et l'évidence de son inachèvement, l'œuvre qu'il a laissée s'impose quand même par sa très forte cohérence, laquelle se défend mieux que les interprétations trop pressées de conclure à son aliénation. L'écrivain ne fait pas mystère de son « cas », pour qui veut prendre la peine de le lire. Il ne fait même que cela : scruter sans illusion son expérience du vide. En poésie comme en prose, tous les thèmes le reconduisent au même point, en face d'une fin toujours refusée et qui le force à se replier sur un recommencement. L'absence se rencontre partout mais demeure insaisissable. Le monde est devenu cette nuit ambiante d'un désir impossible, désir vidé de tout objet et curieusement avivé par cette réduction :

> Mon dieu ? Je l'ai cherché *dans la nuit qui m'entoure* et je ne le vois plus. (...) Ce qui reste ? Pas le besoin de vivre et pas la hantise de mourir, pas l'amour de la mort. Rien. Le corps demande et le cœur suit et rugit et grince de douleur, mais se laisse, se laisse broyer et mourir le désir du beau en lui, mourir, mourir, pour ne laisser vivre et grandir que le désir, *le grand, l'horrible désir de rien, de rien, de rien*[16].

La tradition morale et religieuse se trouve à la fois transmise et répudiée, reconduite et pourtant infléchie, vivifiée et déjà perdue chez les intellectuels de

La Relève[17], qui gardent les valeurs spirituelles de la culture canadienne-française tout en rejetant son discours clérical et autoritaire. Comme eux, mais par des moyens différents, Saint-Denys Garneau cherche à affranchir la lettre en restaurant l'esprit de cette tradition. La stratégie est ambiguë. S'agit-il vraiment d'une contradiction ou vaudrait-il mieux parler de compromis ? Ces jeunes loups savent montrer patte blanche, mais le coup de dent est vigoureux. Ils ont flairé les meilleures places en ce monde et dans l'autre. Ils gagneront sur les deux tableaux, mais leur ami n'avait pas l'instinct de la meute. À sa manière, il fut cependant fidèle au programme commun. Prenant le parti du chasseur embusqué, il préféra s'enfoncer au fond de sa nuit, « Tout composé d'absence noire/Un trou d'oubli — ciel calme autour » (p. 37). Ce « trou d'oubli » n'a pas cessé de hanter nos mémoires. Tout se passe comme si cette mort, loin de retirer Saint-Denys Garneau du monde, y inscrivait sa présence d'une façon durable.

> Son destin littéraire posthume prolonge la trajectoire (d'un drame qu'il a lui-même mis en scène). Vivant, il était mort au monde, tandis que mort, il vit, présent jusqu'à l'obsession dans les consciences, symbole toujours neuf, objet d'énigme et de scandale. Le paradoxe, c'est que, prisonnier de servitudes psychiques, il ait contribué éminemment à la libération de la poésie[18].

* * *

Saint-Denys Garneau est-il lisible aujourd'hui ? Ce n'est peut-être pas la bonne question. Il faudrait demander s'il a *vraiment* été *lu*. Autrement dit, comment

congédier son *mythe* ? Faudra-t-il porter collectivement
la culpabilité de son destin jusqu'à l'extinction de la
tribu ? L'un s'écrie, horrifié : « On a tué Saint-Denys
Garneau[19] », accusant la société tout entière d'avoir
détruit son bonheur humain. Un autre réplique : « Qui a
tué Saint-Denys Garneau[20] ? », soutenant que le crime
véritable est de méconnaître la nécessité profonde de sa
mort assumée, dont on aimerait encore le priver pour en
tronquer le sens.

Voici une œuvre qui, en une cinquantaine d'années,
a provoqué plus de questions que de réponses. Il est
impossible d'examiner ici la masse des écrits critiques,
mais il convient de dire au moins que le poète de
Regards et Jeux dans l'espace a été reconnu par ses
contemporains. Sur ce point précis, il est facile de
corriger le mythe en citant une fois de plus l'ouvrage
indispensable de Jacques Blais : « La plupart des premiers lecteurs des *Regards et Jeux dans l'espace* ont
compris le sens de la tentative de Garneau... Pour la
première fois, on reconnaît légitime l'expérience d'une
poésie abstraite[21]... » Le nombre de recensions qui en ont
rendu compte est lui-même un témoignage de respect :
une quinzaine de textes ont été publiés à son sujet entre
mars 1937 et juin 1939, selon les recherches effectuées
par Blais dans les périodiques.

Hormis de rares fausses notes, dont l'attaque restée
célèbre de Valdombre (Claude-Henri Grignon), le
recueil de Garneau a fait l'objet d'un accueil très favo-
rable de la part des critiques de son temps, ce qui ne
manque pas d'étonner après ce que l'on a dit de
l'atmosphère qui y prévalait. Un mot d'explication paraît

nécessaire. Surtout à partir de 1934, la vieille garde et les tenants de la mystique du terroir cachent mal leur désarroi et la débâcle des idéologies conservatrices paraît imminente, du moins dans le monde de l'art et de la littérature. Une autre tradition se prépare à prendre le relais. Elle remonte à la fin du XIXᵉ siècle, mais elle a été longtemps étouffée au nom de la morale et de la raison. Il faut se garder de voir *Regards et Jeux dans l'espace* comme un phénomène de génération spontanée. C'est encore Jacques Blais qui écrit dans *De l'ordre et de l'aventure. La Poésie au Québec de 1934 à 1944* :

> Peu avant que Garneau ne publie son recueil, et au moment même où il le fait, à la fois les thèmes fondamentaux et le dessin de son itinéraire spirituel sont inscrits dans plusieurs recueils ou dans bon nombre de poèmes isolés ou de textes critiques. (...) À son insu, Saint-Denys Garneau continue cette tradition de poètes baudelairiens dans la mesure où, intimistes, ils s'affranchissent du ton déclamatoire et des préoccupations d'ordre moral ou national (...). Toutes ces démarches antérieures ou contemporaines, Garneau les reprend à son compte. Il donne même à ce type de poète (inachevé) et à cette conception de la poésie (qui détruit qui la sert) une représentation d'une telle netteté qu'il fera éclater ces fantasmes[22].

On peut songer à Albert Lozeau, à Guy Delahaye, à Jean-Aubert Loranger, à Alphonse Beauregard, à Albert Dreux, mais on a oublié aujourd'hui bien des noms auxquels se rattachent des recherches diversement apparentées à celle de Garneau, sans l'exigence éthique et esthétique qui le distingue entre tous. La publication de *Regards et Jeux dans l'espace* a pu alors être perçue comme une promesse de renouvellement qui donnait une forme enfin crédible à beaucoup d'expériences d'écriture plus ou moins abouties et noyées dans le flot des productions bien pensantes célébrées par la critique de l'époque.

En fait, ce n'est pas tant l'œuvre de Garneau que sa mort qui a tout embrouillé : « L'inattendu et l'étrangeté de cette mort provoquent la surprise, une profonde émotion. Les notices nécrologiques, œuvres parfois des poètes les plus réputés du temps (Marcel Dugas, Rina Lasnier, Anne Hébert, Alain Grandbois), transfigurent Garneau en un personnage mythique et leurs écrits sont des tombeaux d'Orphée[23]. » Dès lors, il semble que cette sacralisation obscurcisse progressivement la lecture des textes. On commencera très tôt à instruire le procès non de la poésie du disparu, mais de sa disparition. Cela ne veut pas dire qu'on ait négligé de scruter les écrits du poète, mais l'ombre du mythe ne pouvait manquer de s'étendre entre le nombre grandissant des écrits posthumes et l'intérêt des lecteurs.

L'opacité de ce mythe refuse de se dissiper à l'aube de la Révolution tranquille, c'est-à-dire avec l'entrée en scène d'une autre génération, celle de la nouvelle revue *Liberté*, fondée en 1959 par des poètes comme Jean-Guy Pilon et Fernand Ouellette. Pendant quelques années, l'astre sombre de Saint-Denys Garneau sera menacé d'éclipse totale au profit de l'*étoile pourpre*[24] d'Alain Grandbois, l'autre mage québécois de la modernité poétique. Pierre Nepveu a montré jusqu'à quel point certains poètes du début des années 1960 opposent constamment les deux aînés, Garneau et Grandbois, en une rivalité factice qui joue d'abord aux dépens de l'auteur de *Regards et Jeux dans l'espace*. Mais « paradoxalement, observe Nepveu, c'est Saint-Denys Garneau qui demeure le plus vivant, à la Révolution tranquille, vivant par cela même qu'on rejette en lui et qui ne cesse de refaire surface[25] ». L'enjeu de cette opposition, c'est le silence du langage abstrait contre le chant du lyrisme somptueux, ou l'aride solitude attribuée à Garneau contre la riche exploration du monde célébrée par Grandbois. À l'heure du néo-nationalisme en plein essor, le choix sera vite fait et Garneau sera souvent relégué au purgatoire avec les jeux réputés gratuits du formalisme mallarméen.

Mais la poésie de Garneau touche et rejoint autre chose que le côté *gens du pays* de la période. La littérature de la Révolution tranquille, heureusement, ne se réduit pas à l'exaltation du désir d'identité. Elle introduit surtout la remise en question et le doute au cœur de l'identité. Et c'est là que Garneau, prosaïque, préfigure le « non-poème » de Gaston Miron et le travail critique des meilleurs représentants de la période, en grande majorité des essayistes et des romanciers. Le bel essai de Pierre Nepveu, *L'Écologie du réel. Mort et Naissance de la littérature québécoise contemporaine,* propose une relecture très éclairante de la littérature québécoise contemporaine et rend justice à l'influence séminale de Saint-Denys Garneau. Il signale notamment que celui-ci est un « poète de la ville, non pas au sens thématique ou descriptif, mais sur le plan psychique et ontologique. (...) La sensibilité urbaine, géométrique, ironique, suppose aussi qu'il n'existe plus de communauté tribale, mais plutôt une communauté problématique... » En outre, poursuit Nepveu, sa « poésie magnifiquement hybride, impure, ne (peut) ni ne (veut) s'installer dans le « fauteuil » d'un lyrisme coulant. (...) Nul en effet n'est moins que Garneau un magicien du verbe[26]... »

Robert Melançon écrira en 1984, dans sa présentation du numéro spécial d'*Études françaises* intitulé « Relire Saint-Denys Garneau » : « Il y a quinze ou vingt ans, la réputation de Garneau était au plus bas. Depuis, son œuvre n'a cessé de grandir, de façon inattendue, trouvant de nouveaux lecteurs, et pas seulement dans les programmes scolaires. Mieux, des écrivains le revendiquent maintenant comme un précurseur[27]. »

Pierre Nepveu n'hésite pas à situer Saint-Denys Garneau parmi les fondateurs de la littérature québécoise de la Révolution tranquille, dans la mesure où celle-ci réévalue la culture traditionnelle : « Tout ce qui s'écrit au plus près du réel québécois fait référence à Saint-Denys Garneau[28]. » La raison de cette référence incontournable est justement le réel québécois, constitué par une culture où la figure paternelle et la conscience du langage, autrement dit l'ordre symbolique, sont essentiellement précaires. En somme, si Garneau est si présent, c'est qu'il reste exclu : il représente ce qui a été souvent écarté de la littérature québécoise contemporaine et qui rebondit toujours, la « solitude qui est celle de l'ordre paternel lui-même, du moi conquérant, héroïque, mais à jamais orphelin[29]... ». De Michel Tremblay à Victor-Lévy Beaulieu, la liste des auteurs qui participent aujourd'hui de cette dynamique serait longue, mais personne n'a su poursuivre la réflexion à partir du point précis jusqu'où Garneau l'a élevée d'un seul coup : « Il faut en finir de quelque façon. Mourir ne finit rien, ne résout rien ; mourir laisse tout en suspens : tout reste pareil, tout continue ailleurs de la même façon. C'est impossible[30]. » Pour Yvon Rivard, cette impossibilité signe l'actualité poétique de Saint-Denys Garneau, qui est à lire à la suite de Rimbaud, Nietzsche, Kafka, Hölderlin, Hofmannsthal et Rilke : « Poésie qui ne célèbre ni les dieux ni les hommes, poésie qui renonce au chant au profit d'une parole neutre, impersonnelle, qui ne dit plus que le désir de s'effacer dans le premier et le dernier mot, ce mot qui nous permettrait de tout dire, de tout voir, mais qu'on ne peut prononcer qu'en se taisant[31]. »

Devant tant de questions suspendues à son œuvre, il est de plus en plus difficile de négliger ce poète incarnant à lui seul un pôle de l'espace imaginaire québécois. Depuis 1980, on voit se multiplier les signes d'un renouveau dans la lecture de l'œuvre. Dès 1978, Pierre Vadeboncoeur lui consacrait quelques pages importantes dans *Les Deux Royaumes*. L'essayiste évoquait sa lecture de la poésie de Garneau comprise comme une expérience ontologique située entre l'univers tragique et celui de l'enfance. Aux ouvrages que j'ai cités, il faudrait en ajouter sans doute beaucoup d'autres. Je me contenterai, en terminant, de mentionner le dernier livre de Jean Larose, *L'Amour du pauvre* (1991), titre qui fait évidemment référence à des pages célèbres du *Journal* de Saint-Denys Garneau : « Ceux qui ont vu en lui " le symbole de notre aliénation ", écrit-il, n'ont que fourni, par ce jugement téméraire, la preuve qu'ils ne savent pas lire[32]. » La pauvreté « élue » dont Jean Larose fait un concept clé dans cet essai est une catégorie qui embrasse des réalités beaucoup plus larges que le seul drame québécois. Il s'agit plutôt du rite de passage que doit emprunter, pour naître, la conscience moderne, ce « délire d'orphelin autour du père mort », ce qui touche éminemment la situation de la culture québécoise, mais inscrite dans l'histoire, et non plus vénérée dans son ineffable différence. Les analyses de Jean Larose ne portent pas sur Saint-Denys Garneau, mais sur toutes sortes de choses apparemment sans rapport avec lui, qui illustrent pourtant tout ce que nous devons à son expérience du vide. *L'Amour du pauvre* emprunte en somme une idée de Garneau diariste et celle-ci sert à poser des questions très actuelles. La présence de Saint-Denys Garneau n'a jamais été aussi inévitable.

S'il vivait encore, l'auteur de *Regards et Jeux dans l'espace* aurait maintenant quatre-vingt-un ans. Observerait-il toujours le silence qu'il s'était imposé les dernières années de sa vie, si la longévité l'avait conduit jusqu'aux bruits quotidiens de nos campagnes médiatiques ? Qu'aurait-il pensé de son ami André Laurendeau, devenu animateur de *Pays et merveilles* à la télévision, au milieu des années 1950 ? Et s'il avait continué d'habiter tranquillement son beau manoir de Sainte-Catherine de Fossambault, le quitterait-il parfois pour aller siéger à l'Académie québécoise des lettres ? Et son tableau de chasse dans le nonchalant bétail des lancements mondains, mieux vaut ne pas y penser. Aurait-il finalement délaissé le vers libre et rare pour la nombreuse galère romanesque, comme sa cousine Anne Hébert ? Aurait-il demandé des bourses de création ?

Aurait-il poursuivi plutôt son inlassable activité critique ? Quelle position aurait-il adoptée dans la querelle du joual, cette langue de « mauvais pauvre » ? Quel serait son verdict sur la santé de l'institution littéraire, l'état de l'éducation, l'éternelle question linguistique et l'avenir des Nations Unies ? Comment imaginer Saint-Denys Garneau là où nous sommes ? Son fantôme n'est pas moins insolite que sa mort n'était raisonnable. Comment en finir avec sa légende ?

La poésie ne connaît que deux états qui sont son jaillissement et sa chute. Avant et après le poème, la place est déserte : « Des choses apparaissent qui, subitement, s'occultent. Un mouvement s'arrête pour aussitôt reprendre, sitôt passé l'intervalle[33]. » Ce vide n'admet pas d'autre parole que le mythe, une fois éteint le scintillement d'une œuvre mise à distance, comme un astre refroidi. Tout cela semble si lointain, si fabuleux, à des années-lumière du présent : un écrivain meurt à trente et un ans, volontairement sacrifié au principe de son écriture et, ce faisant, il assure la durée de son projet, toujours imparfaitement réalisé à ses yeux. Le moins qu'on puisse dire, c'est que pareille inquiétude ne fait pas souvent la une du cahier-livres des journaux du samedi, ni même celle des revues dites spécialisées. S'il n'y avait qu'une leçon à retenir de Saint-Denys Garneau et si c'était son refus critique de toute complaisance, ce serait encore une raison suffisante de connaître et de méditer cette leçon.

* * *

Sur Saint-Denys Garneau, on a beaucoup réfléchi, beaucoup écrit, et même des pages importantes, mais d'où vient le sentiment non moins persistant que rien n'a encore été dit ? Le choc est toujours aussi vif et l'œuvre reste inentamée. Le mélange d'étrangeté et de proximité qu'on sent à le lire est neuf. Le don qu'il nous fait, on ne saurait jamais assez le désirer pour le mériter et on l'attendra toujours trop pour savoir y renoncer. C'est un « langage du vide, langage vidé de tout ce qui encombre le vide[34] », comme l'a écrit admirablement Jacques Brault. Cet espace primordial et physique de la vision, mais d'une vision au bras coupé, réalise la désillusion de la vue, l'extension du rayon « des yeux grands ouverts » de l'enfance, « grands pour tout prendre », « Après la première victoire/Du regard ». On ne retrouve chez aucun autre poète québécois un tel besoin de s'attacher à chaque mot, à la moindre inflexion du débit entravé, au soubresaut de la respiration et à l'échéance capricieuse du détachement « Dans la confiance et la clarté de l'air » (p. 72). Rares sont les textes qui se recommandent d'une aussi pressante nécessité.

Réjean Beaudoin
Vancouver, août 1993

Notes

1. Pour l'édition originale de *Regards et Jeux dans l'espace,* Saint-Denys Garneau (de son vrai prénom Hector de Saint-Denys, son nom de famille étant Garneau) avait choisi la graphie «St-Denys-Garneau». Il y a depuis toujours eu ambiguïté en ce qui concerne l'orthographe du nom du poète. Hector de Saint-Denys Garneau, arrière-petit-fils de François-Xavier Garneau,

doit son prénom — inusité — à son parrain, Hector Prévost, et à son oncle maternel, De Saint-Denys Prévost.

2. Saint-Denys Garneau, *Œuvres*, édition critique par Jacques Brault et Benoît Lacroix, Montréal, PUM, collection « Bibliothèque des lettres québécoises », 1971, p. Xi.

3. *Ibid.*, note 4, p. Xi.

4. Laurent Mailhot et Pierre Nepveu, *La Poésie québécoise des origines à nos jours,* Montréal, L'Hexagone, collection « Typo », 1990, p. 204.

5. Beaucoup de poèmes de Saint-Denys Garneau peuvent assurer quelque fondement à l'interprétation de sa poésie à partir de sa mort. Par exemple, ceux qui sont réunis sous les sous-titres « La mort grandissante » et « S'endormir à cœur ouvert », dans le recueil posthume *Les solitudes,* et notamment les poèmes « C'est eux qui m'ont tué » et « Quand on est réduit à ses os » (Saint-Denys Garneau, *Poésies complètes,* Fides, 1949, p. 195-221).

6. Gilles Marcotte, *Le Temps des poètes. Description critique de la poésie actuelle au Canada français,* Montréal, HMH, 1969, p. 41.

7. Saint-Denys Garneau, *Œuvres,* PUM, 1971, p. 409.

8. Toutes les citations de *Regards et Jeux dans l'espace* sont suivies du numéro de la page entre parenthèses.

9. Saint-Denys Garneau, *Œuvres,* PUM, 1971, p. 409.

10. Fernand Dumont, « Le Temps des aînés », dans *Études françaises,* 1969, p. 467-468.

11. À Robert Élie, septembre 1936, dans Saint-Denys Garneau, *Lettres à ses amis,* Montréal, HMH, collection « Constantes », 1967, p. 223.

12. Gilles Marcotte, *Le Temps des poètes,* p. 42.

13. Jacques Blais, *De l'ordre et de l'aventure. La poésie au Québec de 1934 à 1944,* Québec, Presses de l'Université Laval, 1975, p. 124.

14. Gilles Marcotte, *Le Temps des poètes,* p. 46.

15. Jacques Blais, *De l'ordre et de l'aventure,* p. 141. Les pages qui suivent s'inspirent directement de cet ouvrage.

16. « Ce jeudi soir, 19 mars 1931 » (*Journal*), dans *Œuvres,* p. 619-620. C'est moi qui souligne.

17. Sur l'idéologie de la revue, on peut consulter l'article de Jacques Pelletier, « *La Relève,* une idéologie des années 1930 », dans *Voix et images du pays,* V, 1972 (p. 69-139). Plus récemment, Jacques Pelletier a aussi consacré un article à « Jean Le Moyne, témoin essentiel. Une relecture des *Convergences* », dans *Voix et images,* vol. XXIII, n° 3, printemps 1993, p. 563-578. L'essai d'André J. Bélanger, *Ruptures et constantes. Quatre idéologies du Québec en éclatement : La Relève, La JEC, Cité libre, Parti Pris* (Montréal, Hurtubise HMH, 1977), propose une analyse intéressante.

18. Jacques Blais, *De l'ordre et de l'aventure,* p. 130 et 149.

19. Célèbre accusation de Jean Le Moyne dans un texte intitulé « Saint-Denys Garneau, témoin de son temps », *Convergences,* Montréal, HMH, 1960, p. 219-241.

20. Texte d'Yvon Rivard publié dans *Liberté* 139, janvier-février 1982, p. 73-85. Cet article est repris dans *Le Bout cassé de tous les chemins,* Boréal, 1993.

21. Jacques Blais, *De l'ordre et de l'aventure,* p. 160-161.

22. *Ibid.,* p. 146.

23. *Ibid.,* p. 227.

24. Titre d'un recueil de poèmes d'Alain Grandbois, *L'Étoile pourpre,* publié en 1957.

25. Pierre Nepveu, *L'Écologie du réel. Mort et Naissance de la littérature québécoise contemporaine,* Montréal, Boréal, 1988, p. 68.

26. *Ibid.,* p. 27.

27. Robert Melançon, « Présentation », dans *Études françaises,* vol. 20, n° 3, hiver 1984-1985, p. 5.

28. Pierre Nepveu, *L'Écologie du réel,* 1988, p. 69.

29. *Ibid.,* p. 73.

30. Saint-Denys Garneau, « Le mauvais pauvre va parmi vous avec son regard en dessous », *Journal,* dans *Œuvres,* p. 574.

31. Yvon Rivard, « Qui a tué Saint-Denys Garneau ? », dans *Liberté* 139, janvier-février 1982, p. 83-84 ; dans *Le Bout cassé de tous les chemins,* Boréal, 1993.

32. Jean Larose, *L'Amour du pauvre,* Montréal, Boréal, collection « Papiers collés », 1991, p. 247.

33. Jacques Blais, *De l'ordre et de l'aventure,* 1975, p. 153.

34. Jacques Brault, « Saint-Denys Garneau 1968 », dans *Chemin faisant,* Montréal, La Presse, 1975, p. 109.

BIBLIOGRAPHIE

BIBLIOGRAPHIE

Œuvres de Saint-Denys Garneau

Regards et Jeux dans l'espace, Montréal, s. édit., 1937, 80 p.

Poésies complètes, Fides (« Nénuphar »), 1949, 226 p.

Journal, Montréal, Beauchemin, 1954, 270 p.

Lettres à ses amis, Montréal, HMH (« Constantes »), 1967, 489 p.

Œuvres, texte établi, annoté et présenté par Jacques Brault et Benoît Lacroix, Montréal, Presses de l'Université de Montréal (« Bibliothèque des lettres québécoises »), 1971, XXVii + 1320 p.

Études

Jacques Blais, *De l'ordre et de l'aventure. La poésie au Québec de 1934 à 1944,* Québec, Presses de l'Université Laval (« Vie des lettres québécoises »), 1975 : « Le monologue ironique de Saint-Denys Garneau », p. 141-164.

Jacques Blais, *De Saint-Denys Garneau,* Montréal, Fides (« Dossiers de documentation sur la littérature canadienne-française »), 1971.

Roland Bourneuf, *Saint-Denys Garneau et ses lectures européennes,* Québec, Presses de l'Université Laval (« Vie des lettres canadiennes »), 1969.

Jacques Brault, *Chemin faisant,* Montréal, La Presse, 1975 : « Saint-Denys Garneau 1968 », p. 107-109.

Eva Kushner, *Saint-Denys Garneau,* Paris, Seghers (« Poètes d'aujourd'hui »), 1967.

Jean Larose, *L'Amour du pauvre,* Montréal, Boréal (« Papiers collés »), 1991 : « Vers le mauvais pauvre », p. 203-247.

Jean Le Moyne, *Convergences,* Montréal, HMH (« Constantes »), 1960 : « Saint-Denys Garneau, témoin de son temps », p. 219-241.

Gilles Marcotte, *Le Temps des poètes. Description critique de la poésie actuelle au Canada français,* Montréal, HMH, 1969 : « Saint-Denys Garneau », p. 41-46.

Gilles Marcotte, *Une littérature qui se fait,* Montréal, HMH (« Constantes »), 1962 : « La poésie de Saint-Denys Garneau », p. 140-218.

Pierre Nepveu, *L'Écologie du réel. Mort et Naissance de la littérature québécoise contemporaine,* Montréal, Boréal (« Papiers collés »), 1988 : « La prose du poème » et « Un trou dans notre monde », p. 25-42 et 63-77.

Yvon Rivard, *Le Bout cassé de tous les chemins,* Montréal, Boréal (« Papiers collés »), 1993 : « Qui a tué Saint-Denys Garneau ? », p. 99-111.

Pierre Vadeboncoeur, *Les Deux Royaumes,* Montréal, L'Hexagone, 1978, p. 118-124.

Collectifs

La Nouvelle Relève, décembre 1944 : « Hommage à de Saint-Denys Garneau », p. 513-533.

Études françaises, vol. 5, n° 4, novembre 1969 : « Hommage à Saint-Denys Garneau », p. 455-489.

Études françaises, vol. 20, n° 3, hiver 1984-1985 : « Relire Saint-Denys Garneau ».

CHRONOLOGIE

1912	Le 13 juin, naissance à Montréal de Hector de Saint-Denys Garneau, fils de Paul Garneau et de Hermine Prévost.
	Paul Garneau est le fils du poète Alfred Garneau et le petit-fils de l'historien François-Xavier Garneau ; Hermine Prévost descend par sa mère de la famille Juchereau-Duchesnay, qui compte un héros militaire au XVIIe siècle et un sénateur au début du XIXe siècle, le seigneur de Sainte-Catherine de Fossambault, Antoine Juchereau-Duchesnay, arrière-grand-père maternel de Saint-Denys.
1916-1922	Il habite avec les siens le manoir ancestral de Sainte-Catherine de Fossambault, comté de Portneuf, près de Québec. Il continuera toujours d'y passer les vacances et y invitera souvent ses amis.
1922	Sa famille s'installe à Québec. Il étudie au couvent des sœurs du Bon-Pasteur où il est pensionnaire.

1923   Études secondaires au collège Loyola de Westmount.

1924   Il suit des cours à l'École des Beaux-Arts de Montréal.

1926   Il remporte le premier prix de la section française d'un concours littéraire organisé par les magasins Morgan pour les enfants de Montréal. Il entre au collège Sainte-Marie en septembre.

1927   Il quitte le collège Sainte-Marie pour le collège Jean-de-Brébeuf. Trop absorbé par ses études, il abandonne à regret ses cours à l'École des Beaux-Arts. En décembre, il commence la rédaction de son *Journal*.

1928   Son poème « Automne » lui vaut le premier prix du concours de poésie de l'Association des auteurs canadiens. Il quitte le collège Brébeuf pour cause de maladie (crise de rhumatisme et lésion cardiaque dont les séquelles l'affecteront le reste de sa vie).

1929   Il reprend ses études au collège Brébeuf, en classe de versification.

1930   Il revient au collège Sainte-Marie en septembre pour son année de belles-lettres.

1934   Il expose à la Galerie des Arts de Montréal. Fondation de la revue *La Relève,* à laquelle il participe ; il y signe deux articles au cours de l'année.

1935-1936 Activité littéraire intense : lectures, publication de sept articles, préparation de son livre de poèmes.

1937   Publication en mars de *Regards et Jeux dans l'espace*.

Seconde exposition à la Galerie des Arts de Montréal au printemps. Dans une lettre, il fait mention d'une dépression nerveuse. Bref voyage en France à l'été ; repris par un besoin de solitude, il rentre précipitamment au pays. Il se retirera volontairement dans une réclusion de plus en plus complète.

1939   Les cahiers de son *Journal* s'arrêtent le 22 janvier 1939, mais l'état des papiers personnels de l'écrivain rend difficile la datation précise de nombreuses pages et il n'est pas exclu qu'il ait continué d'écrire son journal jusqu'à la fin de sa vie. Sa correspondance reste active jusqu'à sa mort.

1943   Le 24 octobre, Saint-Denys Garneau meurt seul, au cours d'une excursion en canot sur la Jacques-Cartier. Son corps est retrouvé au bord de la rivière. Le 28 octobre, messe de funérailles à l'église de Sainte-Catherine de Fossambault et inhumation au cimetière local.

1949   Publication des *Poésies complètes* de Saint-Denys Garneau par Robert Élie et Jean Le Moyne. Beaucoup de poèmes retrouvés plus tard feront mentir le titre de cette édition et seront publiés dans l'édition critique de ses *Œuvres* (1971).

1954   Publication du *Journal* précédé d'une préface de Gilles Marcotte.

1967   Publication d'une partie de la correspon-
         dance par Robert Élie, Claude Hurtubise et
         Jean Le Moyne, sous le titre *Lettres à ses
         amis*. Publication à Paris du *Saint-Denys
         Garneau* de Eva Kushner dans la collection
         « Poètes d'aujourd'hui » aux éditions
         Seghers.

1968   L'Université de Montréal organise un
         colloque « Saint-Denys Garneau 1968 »
         pour souligner le 25e anniversaire de sa
         mort.

1971   Publication de l'édition critique des *Œuvres*
         de Saint-Denys Garneau par Jacques Brault
         et Benoît Lacroix.

TABLE DES MATIÈRES

TABLE DES MATIÈRES